EL DESEO DE JUBAL

UN CUENTO DE

AUDREY WOOD

ILUSTRACIONES DE

DON WOOD

SCHOLASTIC INC.

New York Toronto London Auckland Sydney
Mexico City New Delhi Hong Kong Buenos Aires

Originally published in English as *Jubal's Wish*

Translated by Miriam Fabiancic

This book was originally published in hardcover by the Blue Sky Press in 2000.

ISBN 0-439-35294-0

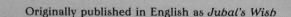

12 11 10 9 8 7 6 5 4 3 2 1   2 3 4 5 6 7/0

www.audreywood.com
Printed in the U.S.A.   8
First Scholastic Spanish printing, December 2002

Designed by Don Wood and Kathleen Westray

A Bonnie y Zach

Un día brillante y soleado,
Jubal salió a pasear por el sendero.
Iba tan contento que sus patas
apenas tocaban el suelo.

Al cabo de un rato, llegó a la casa de Berta y sus siete sapitos. *¡Pum, pum, pum!* Berta estaba afuera sacudiendo una vieja alfombra con la escoba.

—¡Muy buenos y soleados días, querida amiga! —exclamó Jubal.

—¿Qué tienen de buenos? —respondió Berta enojada—. Los sapitos están haciendo de las suyas y mi casa es un desastre. Me da igual si llueve o sale el sol.

—Pero mira, he traído una cesta de picnic para compartir —dijo Jubal, mostrándole la cesta.

—¡Picnic! ¡Bah! No tengo tiempo para esas cosas —dijo Berta—. Lo único que hago es trabajar, trabajar y trabajar.

Berta se puso la alfombra sobre los hombros y entró en su cabaña.

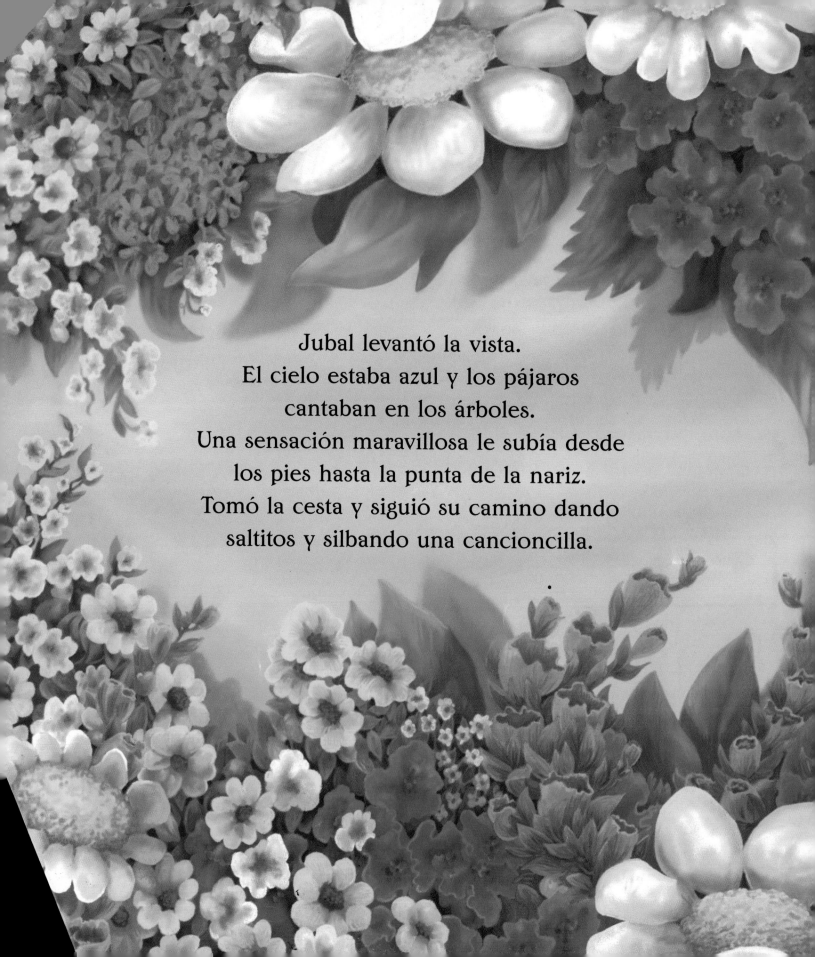

Jubal levantó la vista.
El cielo estaba azul y los pájaros
cantaban en los árboles.
Una sensación maravillosa le subía desde
los pies hasta la punta de la nariz.
Tomó la cesta y siguió su camino dando
saltitos y silbando una cancioncilla.

Junto al río, Jubal encontró al capitán Adalberto Lagartón, descansando a la sombra de su velero Molly Bee.

—¡Muy buenos y soleados días, estimado amigo! —lo saludó Jubal. El lagarto abrió un ojo y suspiró.

—Mis días felices se acabaron —dijo—. Antes yo era un gran capitán que se lanzaba a la aventura con su gran tripulación. Ahora ya nadie quiere navegar en un bote viejo con un capitán viejo.

—Yo sé lo que necesitas —dijo Jubal mostrándole su cesta—. Un buen picnic te hará sentir mejor.

—Lo siento, Jubal, pero no estoy de humor para esas cosas —dijo Lagartón y trepó lentamente la escalera para ir a su camarote.

Por un momento, Jubal pensó que quizas él también debería ponerse triste, pero sintió la fragancia de las flores y la hierba y decidió descansar a la sombra de una margarita. Se recostó, cerró los ojos y dijo:

—Ojalá pudiera hacer algo para que mis amigos se sintieran tan felices como yo en este día tan maravilloso.

Una mariposa revoloteó sobre su cabeza y se posó en la margarita.

Entonces, ocurrió algo extraordinario.

Apareció una gran mano
y levantó a Jubal.
—¿Quieres pedir un deseo?
—le preguntó un mago al
asombrado Jubal.

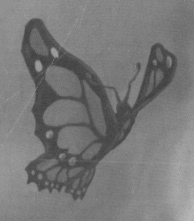

El mago buscó en su bolsillo y sacó una estrellita centelleante.

—Esto es un deseo —dijo—. Si lo quieres, es tuyo.

—¡Un deseo! —exclamó Jubal—. ¿De veras se cumplen?

—Sueños y deseos, deseos y sueños —dijo el mago haciéndole un guiño—. A veces se cumplen, a veces, no. Nunca se sabe lo que pasará al final.

Jubal tomó la estrella y la puso junto a su corazón.

—Quisiera que la casa de Berta estuviera limpia, que sus sapitos se portaran mejor y que el capitán Adalberto Lagartón volviera a tener aventuras. Ese es mi deseo.

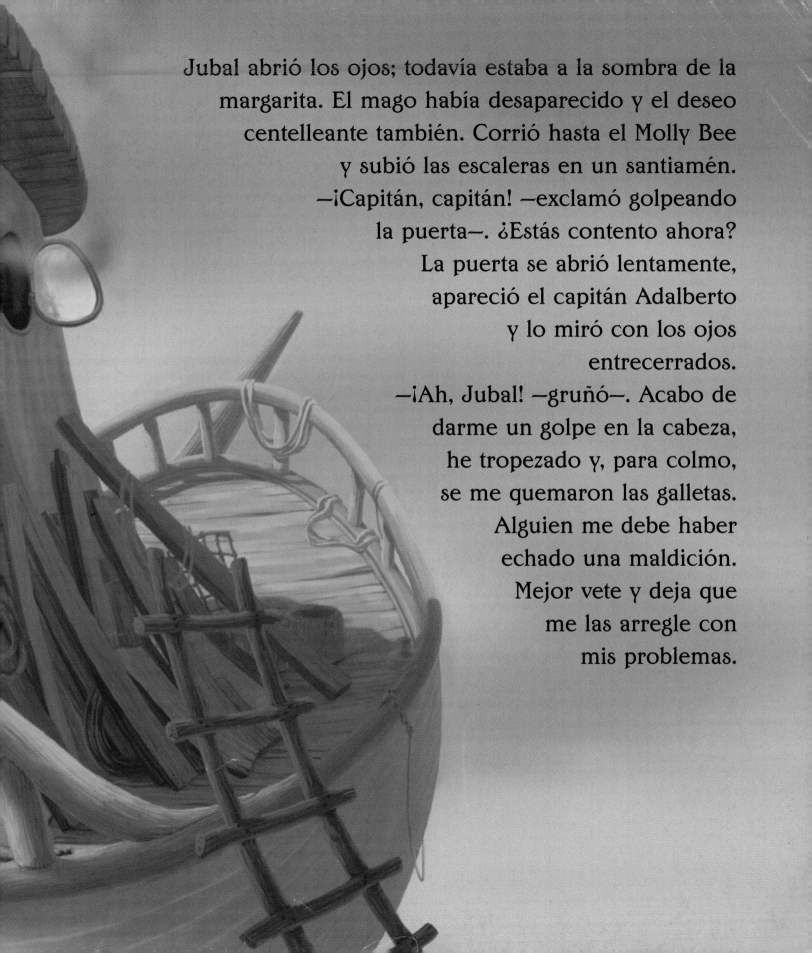

Jubal abrió los ojos; todavía estaba a la sombra de la margarita. El mago había desaparecido y el deseo centelleante también. Corrió hasta el Molly Bee y subió las escaleras en un santiamén.

—¡Capitán, capitán! —exclamó golpeando la puerta—. ¿Estás contento ahora?

La puerta se abrió lentamente, apareció el capitán Adalberto y lo miró con los ojos entrecerrados.

—¡Ah, Jubal! —gruñó—. Acabo de darme un golpe en la cabeza, he tropezado y, para colmo, se me quemaron las galletas. Alguien me debe haber echado una maldición. Mejor vete y deja que me las arregle con mis problemas.

Mientras Jubal se alejaba por el sendero, apareció
una nube y tapó el sol. Cuando pasaba
por la casa de Berta, la oyó gritar:
"¡Dejen de pelear! ¡Qué desorden!
¡Recojan sus juguetes!".
Entonces empezó a tronar y relampaguear.

Al cabo de un rato, Jubal
encontró un hongo grande; se
trepó y se sentó a pensar: "Mi
deseo no se ha cumplido. Ese
mago me engañó porque el
capitán Adalberto y Berta están
más tristes que nunca. ¿Y qué
ha pasado con mi hermoso día
soleado?".

Se le escapó un lagrimón y la
primera gota de lluvia le cayó
en la nariz.

Jubal se puso a llorar
amargamente mientras la lluvia
arreciaba.

La lluvia formó grandes charcos. Los charcos se juntaron y
formaron un arroyo y el arroyo creció hasta convertirse en
un río muy ancho. Jubal no se dio cuenta de lo que estaba
ocurriendo hasta que el agua helada le llegó a los pies.

—¡Uy! —gritó—. ¡Una inundación! ¡La corriente me va
a arrastrar!

En ese momento se oyó una voz a lo lejos:

—Jubal... ¿dónde estás?

—¡Estoy aquííííí! —gritó tratando de ver a través de la tormenta. A lo lejos apareció un bote que luchaba contra viento y marea.

—¡Resiste, Jubal, que ya estamos llegando! —le gritaron ansiosamente.

El velero se abrió paso
entre las olas hasta
chocar con el hongo
donde estaba Jubal.
Berta y los sapitos
lo ayudaron a subir
al barco justo
a tiempo.

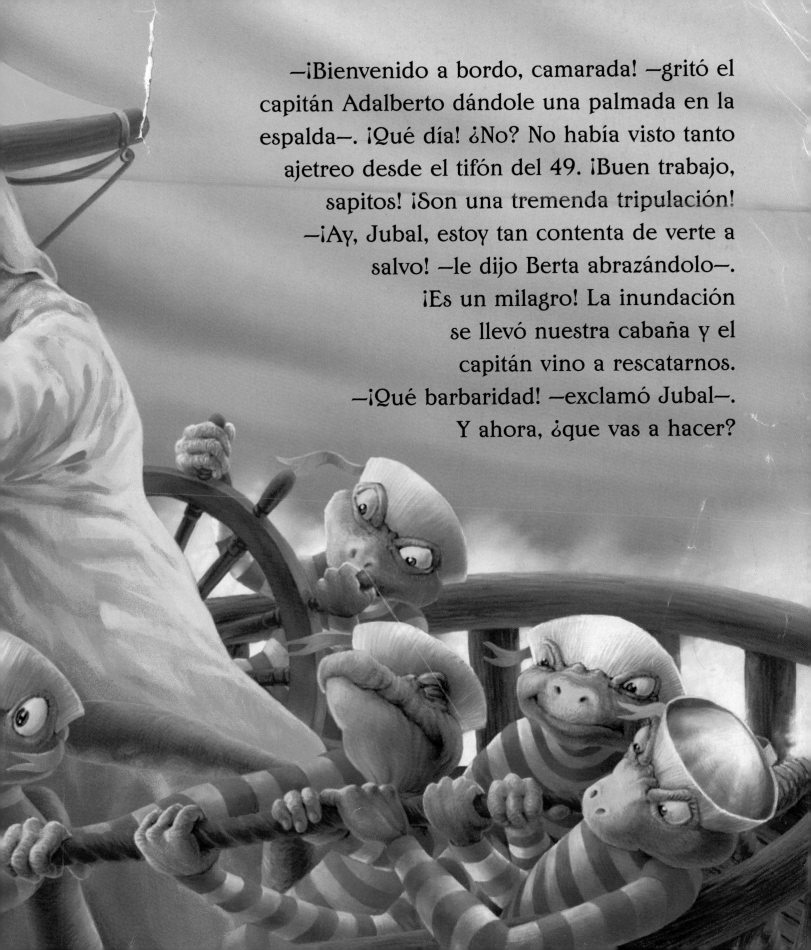

—¡Bienvenido a bordo, camarada! —gritó el capitán Adalberto dándole una palmada en la espalda—. ¡Qué día! ¿No? No había visto tanto ajetreo desde el tifón del 49. ¡Buen trabajo, sapitos! ¡Son una tremenda tripulación!

—¡Ay, Jubal, estoy tan contenta de verte a salvo! —le dijo Berta abrazándolo—. ¡Es un milagro! La inundación se llevó nuestra cabaña y el capitán vino a rescatarnos.

—¡Qué barbaridad! —exclamó Jubal—. Y ahora, ¿que vas a hacer?

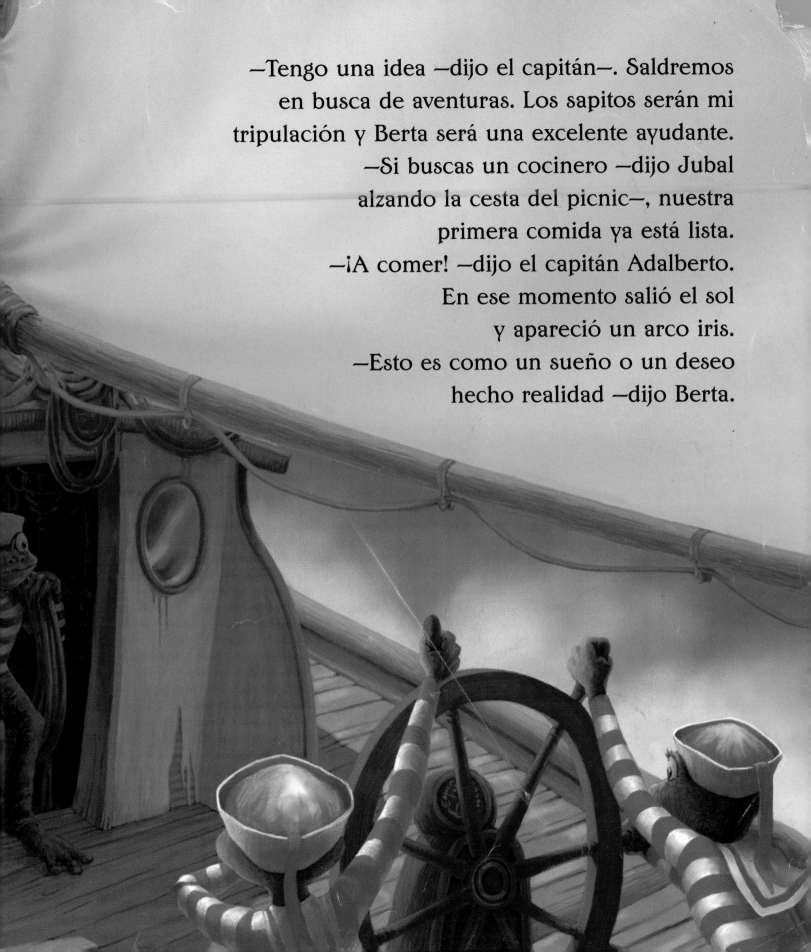

—Tengo una idea —dijo el capitán—. Saldremos
en busca de aventuras. Los sapitos serán mi
tripulación y Berta será una excelente ayudante.
—Si buscas un cocinero —dijo Jubal
alzando la cesta del picnic—, nuestra
primera comida ya está lista.
—¡A comer! —dijo el capitán Adalberto.
En ese momento salió el sol
y apareció un arco iris.
—Esto es como un sueño o un deseo
hecho realidad —dijo Berta.

—Sueños y deseos, deseos y sueños —dijo Jubal—.
A veces se cumplen, a veces, no.
Nunca se sabe lo que pasará al final.